Futa Fata

"Lá mór atá inniu ann, a Chathail" arsa Mamaí.
"Nuair a bheimidne ag obair, beidh tusa sa naíolann."
"Sa naíolann? " arsa Cathal. "Sea, nach cuimhin leat?
An áit álainn atá lán le bréagáin agus cairde nua" arsa Mamaí.

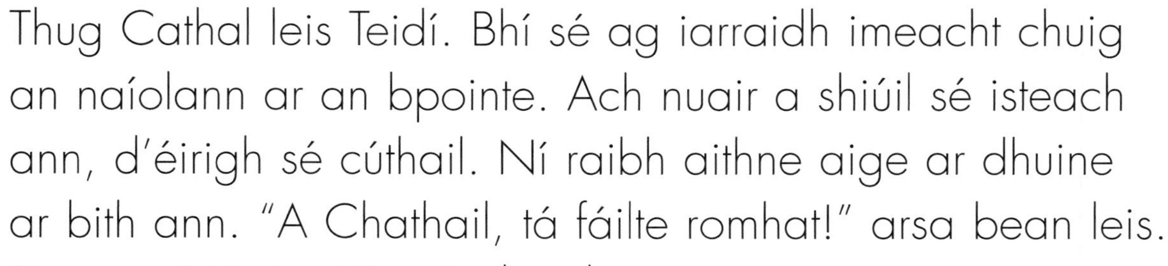

Thug Cathal leis Teidí. Bhí sé ag iarraidh imeacht chuig an naíolann ar an bpointe. Ach nuair a shiúil sé isteach ann, d'éirigh sé cúthail. Ní raibh aithne aige ar dhuine ar bith ann. "A Chathail, tá fáilte romhat!" arsa bean leis. "Is mise Máirín. Tá mé chomh sásta go bhfuil tú tagtha chun spraoi linn!"

"Bíodh an-lá agat, a Chathail"arsa Mamaí.
"Beimid ar ais ar baillín" "Ná himigí!" arsa Cathal.
"Fanaigí liomsa anseo!" "Caithfimid imeacht ag obair"
arsa Daidí. "Beimid ar ais díreach ina dhiaidh sin!"

Amach an doras le Mamaí agus Daidí. Bhí Cathal brónach. "B'fhéidir nach dtiocfaidh siad ar ais!" a deir sé leis féin. Bhí faitíos air go bhfágfadh Mamaí agus Daidí sa naíolann é go deo! Bhí na deora le Cathal bocht.

“Seo leat ag spraoi linn, a Chathail” arsa Máirín. Ach ní raibh fonn spraoi ar bith ar Chathal. Shuigh Máirín síos ar an urlár in aice leis. “Féach, a Chathail!” ar sise. “Tá fonn spraoi ar Theidí!” Choinnigh Cathal greim ar Theidí.

D'iarr Máirín ar Chathal leabhar a phiocadh amach di. "Léifidh mé scéal duit!" ar sí. D'éist Cathal go géar le scéal Mháirín. Scéal faoi theidí a bhí ann, ceann díreach cosúil le teidí Chathail.

"An bhfuil cead agam spraoi le do theidí?" arsa Liam. Ní raibh Cathal ag iarraidh Teidí a thabhairt dó. Léim Liam isteach i gcairrín dearg. D'fhéach Cathal air agus é ag imeacht. Ansin, léim Cathal ar chairrín eile agus siúd chun siúil leis, i ndiaidh Liam.

"Am lóin a pháistí!" arsa Máirín ar ball.
"Úlla bácáilte atá mar mhilseog inniu againn."
Ní raibh Cathal tar éis úlla bácáilte a ithe riamh cheana.
Thaitin siad go mór leis.

Nuair a bhí sé in am dul a chodladh, chuir Máirín Cathal ina luí ina aice le Liam. Smaoinigh Cathal ar a Mhamaí agus ar a Dhaidí. Chuala sé Máirín ag cogarnaíl.

"Dúnaigí bhur súile a pháistí" ar sí.
"Éistigí leis an gceol álainn." Choinnigh Cathal
greim ar Theidí. Ba ghearr go raibh sé ina chodladh.

Is é Liam a dhúisigh Cathal. "Seo linn ag spraoi" ar seisean. Bhí Cathal sásta a bheith ag spraoi le Liam. Thug sé Teidí ar iasacht dó, fiú!
"A Chathail!" arsa Máirín, ar ball.
"Féach cé atá anseo!"

Rith Cathal anonn chuig Mamaí agus Daidí. Bhí sé an-sásta go deo iad a fheiceáil. "Bhí mé féin agus Liam ag imirt leis na cairríní! " ar seisean.
"Slán, a Chathail!" arsa Máirín.
"Slán, gach duine!" arsa Cathal.

Foilsithe den chéad uair ag Éditions Chouette,
Québec, Ceanada faoin teideal Caillou: la garderie ©2007

ISBN: 978-1-906907-23-5

Téacs: Christine L'Heureux agus Gisèle Légaré
Maisiú: Pierre Brignaud • Dathadóireacht: Marcel Depratto
Stiúrthóir ealaíne: Monique Dupras
Leagan Gaeilge: Tadhg Mac Dhonnagáin

Gabhann Futa Fata buíochas le Foras na Gaeilge faoin tacaíocht airgid

Futa Fata,
An Spidéal,
Co. na Gaillimhe.
www.futafata.com